*Ainsi*

# Lili
# un télépho~~ne portable~~

CW00546287

Dominique de Saint Mars

Serge Bloch

CALLIGRAM

CHRISTIAN GALLIMARD

Série dirigée par Dominique de Saint Mars

© Calligram 2010
Tous droits réservés pour tous pays
Imprimé en Italie
ISBN : 978-2-88480-572-8

5

6

7

9

Entre le portable et moi, il faut choisir !

Hugo ou pas Hugo, il faut vivre avec son temps !

**15**

16

«La biche* brame au clair de lune
Et pleure à se fondre les yeux:
Son petit faon délicieux
A disparu dans la nuit brune.
Pour raconter son infortune...»

\* « La Biche » est un poème écrit par Maurice Rollinat.

**18**

20

Oui, maman, j'ai l'oreillette, je suis presque devant la maison, tu me manques, je t'aime, bisous!

Regarde, Lili! Je vais t'expliquer comment il marche... D'abord la vidéo...

Valentine, je me suis complètement trompée sur ton compte! Tu es la fille la plus chouette de la classe.

Tu me redis ce que tu viens de me dire, Lili?

Valentine, je me suis complètement trompée sur ton compte! Tu es la fille la plus chouette de la classe.

Plus que Marlène et Clara?

Bah... elles n'ont pas ta classe!

27

30

31

* Retrouve des conseils de prudence dans *Lili se fait piéger sur Internet*.

33

34

Ah, non, pas de sms, mms, de vidéo ou de mail! Tu m'écris ta proposition sur cette feuille! Et tu signes!

Je ferai tout ce que tu voudras, Lili!

J'accepte qu'on soit copines et qu'on partage ton téléphone uniquement pour te rendre service! C'est pas bon pour la santé d'en avoir un à plein temps!

**37**

# Et toi...

Est-ce qu'il t'est arrivé la même histoire qu'à Lili?
Réponds aux deux questionnaires...

C'est pour appeler tes copains? frimer? pour les jeux,
les messages, la photo? prévenir en cas de problème?

Tes parents ne veulent pas, car c'est dangereux à cause
des ondes? des mauvaises rencontres? de l'argent?

Tu connais les dangers? Tu sais que c'est interdit
de photographier quelqu'un sans son autorisation?

Tes parents t'en ont donné un pour que tu sois plus
indépendant? pour te surveiller? Ça t'est utile?

Allô, ma chérie...
maman va rentrer
tard, alors tu te
prépares.....
...

Parce qu'ils ne sont pas souvent là? parce qu'ils
ne te refusent rien? ou pour que tu sois populaire?

Ils veulent que tu aies une oreillette? Chez toi,
on range son portable le soir et avant les repas?

Tu n'en as pas besoin? Tes copains n'en ont pas? Tes parents savent toujours où tu es, t'accompagnent souvent

Tu préfères profiter de ceux qui sont là plutôt que de raconter à d'autres ce que tu fais ou vas faire?

Tu préfères les consoles, les ordis, le sport, les livres, la nature, la télé? Tu aimes rêver? être seul?

Tu trouves tes parents accros? Ils sont là sans être là?
Tu aimerais plus de vraies conversations et de câlins?

Tu as peur de faire une erreur? de le casser?
de te faire voler, embêter, piéger, racketter, arnaquer?

Tu trouves ça normal que ça soit interdit dans les
écoles, car ça empêche de travailler et de se parler?

**Après avoir réfléchi
à ces questions
sur le téléphone portable,
tu peux en parler
avec tes parents ou tes amis.**

# Dans la même collection

Application Max et Lili
disponible sur

 App Store

Google play

Suivez notre actualité sur Facebook
https://www.facebook.com/MaxEtLili